人の幸せのための社会じゃなかったっけかな？

――さぁて、人としての心と良い社会を取り戻しましょうか――

岡本　隼人

てらいんく

人の幸せのための社会じゃなかったっけかな？

――さぁて、人としての心と良い社会を取り戻しましょうか――

もくじ

まるでまとめのような、まえがき

なんとなくモヤモヤした雰囲気とアヤフヤな価値観にあふれた世の中で、なんとなくモヤモヤした「しんどい心持ち」のまま、日々をどうにかこなしている。

決して少なくない人たちの感覚として、残念ながら今はそんな時代で、ここ日本は特にそんな社会です。

朝起きて、いつものようにテレビをつけてみましょ。

どこか遠い国での紛争のニュースを見て、自分自身に直接すぐ影響するような不幸ではなく、よく知らない誰かの不幸であっても、心が少し疲れたりします。この心の疲れは、きっと人として正常な大切なものです。

では、スマホでFacebookかInstagramでも見てみましょうか。あまり親しくない友人のリア充な生活ぶりを再確認し、自分の代わり映えのしない毎日と比較して、また少し心が疲れるかも知れません。

それならばと、疲れた心を癒してもらうために、誰かにＳＮＳのメッセージでも送ってみましょうか。なかなか返事が来ず、既読にすらならず、心はさらにモヤモヤとしていくこと請け合いです。

「あれれぇ！　おかしぃぞー。」……メガネの小学生探偵風になってしまいましたが、はて私たちは、自分たちの心を疲れさせてモヤモヤさせるために便利な情報社会を作り、ＩＴ機器などを使いこなしていたんでしたっけかな？

そうして、疲れ果てた心はしばしば、自分自身を守るために心の機能を麻痺させることを選びます。

混乱を避けるために、得られる情報を無意識に無計画に遮断します。疲れるのを避けようとし、感じることをやめます。しまいには、満たされないとヤキモキするので、望むことすらしないようになっていきます。

得られる情報と刺激が膨大になり過ぎた社会と文明に、人間の心は対応しきれていません。明らかなオーバーフロー状態で、その情報と刺激の量と質は、人の心の許容量・限界を軽く超えます。

Yahoo!を「ヤッホー！」とやまびこが返ってきそうなステキな読み間違えをするシニアさんなどは、まだ情報や刺激による疲れに敏感だったりしますが、こどもの頃からＩＴが当たり前のデジタルネイティブの人などは、情報や刺激が適度で心に余裕があった状態を感覚的に知らないので、今の異常な量の情報や刺激による疲れに気づくことさえできません。

結果、心は疲れ果てて麻痺してゆがんで、本来の健全な形を失っていきます。また、心の麻痺やゆがみは、もちろんその人の人生にも、その人の身体の健康にも強く影響してしまいます。

私が本業のかたわらで、メールやりとり中心のカウンセラーとして相談対応をさせて頂いていた方々の心の中で、このような現象が、今まさに起きています。

そうして麻痺し、失われてしまっている・または感じづらくなってしまっている心のしくみの代表的なものが「愛」です。この「愛の麻痺」や「愛の喪失」は、個人の心にだけではなく、社会全体にもとても大きな良くない影響を与えてしまっています。

そもそも、愛が充分にあれば、人の心や人の社会に起きる問題の多くは、解決方向に自然と向かえます。もちろん現実問題として、例えば資源も食料もエネルギーも有限な世の中で課題は大量にあるとしても、より良い方向に・より理想とする方向に自然と「向かうこと」ができます。

人は互いの喜びや幸せ・痛みや悲しみを自分自身のものとして感じられるようになるので、誰かを傷つけることに抵抗や罪の意識を感じ、虐待も暴力も犯罪も減ります。

互いの幸せや喜びを求められるようになり、そのために自発的に価値を生む行動をし、配慮や敬意で社会は満ちあふれていきます。

結果、孤独感や無力感や人間関係の不満を感じてしまう人は大きく減り、お互いの優しさや愛や配慮といったものがお互いの心に喜びや幸せを自然ともたらし、それが無限に広がり続けていくステキな連鎖が生まれます。

また、そもそも人間というものが集団で生きる動物で、愛という本能を備えて生まれてくる以上、このような理想に近いと思える社会の形を、本当は多くの人たちが望んでいるハズなのです。

社会のしくみ、例えば、経済・法律・宗教・政治なども、愛のしくみを部分的に代替することで社会のバランスを保とうとしているものに過ぎません。

その社会の規模は別にしてですが、文明が発展する以前の比較的原始に近い社会において、人の社会がうまく成立してうまく機能していくためのしくみは、人間一人一人の心の中の「愛のしくみ」というものが担い、愛の力により社会のバランスがうまく保たれていました。

愛があるから、人は利己的になり過ぎずに済みます。集団として、家族と・友人と・仲間と一緒に助け合って生きられます。

また例えば、人が愛を感じる対象というものが未来に生きる子孫にまで広がれば、将来の人類のために、今流行りのサムギョプサル……、間違えた、サスティナブル(持続可能)な社会を維持しようとする意識もより強く働くことでしょう。

地球環境はより大切にされ、自然と資源は守られ、永遠ではないにしても、本当に幸せに人類が永く住み続けられるステキな世界や未来が実現できるかも知れません。

今よりもう少し原始的な社会の中では、人の愛・優しさ・思いやり・いたわり・配慮といったものは、もっと自然でもっと当たり前で、抵抗なくほとんどの人が共通に持っているものだったはずです。

なぜ、どのようにして、決して少なくない人たちの心の中から、大切な心のしくみや愛が失われてしまったのか。

また、それを取り戻して、愛や充実感にあふれた、多くの人が幸せを感じられる良い社会にしていくことは可能なのか。可能とすると、私たちはそのために、いったい何をすべきで何ができるのか。

起きてしまっている「人の心の崩壊」と、これから目指すべきと思われる「人の心の再構築」と、そしてそれを通じて実現できるかも知れない「人の心と愛の力を大切にできる社会の再構築」について、考えていきます。

1―1　忘れてない？　人も動物だったよね

人類の進化のイラスト

まず、「社会に生きる人の心」について考える前に、そもそもの「生物としての人の心」について、確認をしていきます。

人も生物なので、もちろん、その心のしくみの土台は、大自然において長く命と世代をつなぐ中で得てきた「進化」というものにより形作られています。

最も原始的な、「個」で生きる生物としての心のしくみは、とてもシンプルで純粋に、「自分自身という個体が、より長く生き続けられること」を求めました。

そこから今度は、「種」で生きる生物としての心のしくみに進化し、「自分の種という存在が、より長く生き続けられること」を求めるようになります。

ここで、私たちが普段「愛」と呼んでいる心のしくみが備わります。

「いたわり」「優しさ」「思いやり」「配慮」「慈しみ」など、様々な名前で呼ばれるこの心のしくみをもともと備えているからこそ、人は種を存続させ、集団で助け合いながら生きることができます。

愛が無ければ、社会はおろか、例えば、家族すらも成立しません。

【心の矯正】

もともとは生物として・動物としての心のしくみそのままで生まれてくる私たちですが、文明社会の中で生まれ育っていく過程で、その社会のしくみや社会規範（その社会の中で多くの人たちが共通に強く持っている価値観）に合わせて、自分自身の心を部分的に矯正していきます。

例えば、家庭や学校の中で家族や友人の影響を受けたり教育を受けたりして、常識と呼ばれるものを身に付け、社会に溶け込んで、大きな問題を起こすこともなく平和に安定して暮らしていけるようになります。

このような「心の矯正」がものすごく柔軟にできるということもまた、社会的な動物である人間が得てきた、とても大切でとてもすぐれた心のしくみです。人の心は、生きていく中でどんどん変化し成長していけます。

そしてもちろん、「良い社会のしくみと良い社会規範の中での適度な心の矯正」は、過酷で危険な野生の中ではなく、比較的安全で安定した社会の中で、たくさんの人々が心のバランスをとって社会の秩序を保ちながら生きていくためにも必要なものです。

【愛が奪われ心が麻痺する環境】

しかし、影響を受ける社会規範や社会のしくみが極端過ぎたり、心の矯正があまりにも過度なものになったりしてしまうと、人は、愛を含めた心のしくみを失い、人間らしさを失ったり生きづらさを感じたりしてしまうことがあります。

例えば、愛をまったく与えられないような極端な環境や、愛を完全に否定するような極端な社会では、その環境や社会に染まれば、当然、人は愛という心のしくみを失います。

戦争下や紛争下で人が人を殺し続ける状況、愛の無い家庭や愛の無い社会での生活、程度の違いはあれど、「人に愛されず人を愛せない環境」が、人の心から愛のしくみを奪い去ります。

また、現代社会ではさらに、膨大な情報や過度の刺激を得続けることで人の心は麻痺し、やはり、愛を含めた「自分自身の心の動き」というもの自体を感じづらくなってしまっており、このことも、心のしくみの喪失や人間らしさの喪失に相乗的に影響してしまっています。この点に関しては、後でまた詳しく触れますね。

【ここでのまとめ】

人は、社会の中で生きる理性的な存在である前に、感情的で本能的な生きものであり、動物です。

自分勝手で純粋で力強くて常に全力で欲求や感覚にとても素直で、その一方で、絶対的な強い愛を備えて助け合える優しい動物としての心と、文明社会の中で秩序を保って生きられる人間としての心とを両方認め、「バランス良く生きる」ということが、私たちには、まず一つ、とても大切なこと。

1—2　愛があれば大丈夫。イヤ、愛がないと生きるのが難しい

けが人に肩を貸す人のイラスト

自分以外の誰かの感じる喜びや幸せに同調し、それを自分自身のものやそれに準ずるものとして感じられること。それを可能にしている心のしくみが「愛」です。同じく、自分以外の誰かの感じる悲しみや痛みを自分自身のものとして感じることも「愛」です。

なお、自分が誰かを悲しませたり傷つけたり不幸にしたりすることで自分自身の心に生じる痛みやストレスというものを「罪の意識」と呼びます。「愛」という心のしくみに従っての心の動きや行動を「善」や「正義」と呼び、「罪の意識」を感じる結果につながるような心の動きや行動を「悪」と呼びます。

愛は、集団で助け合いながら生き、種として存続し続けようとする人間・人類にとって欠かせないものです。

愛がなければ、人は自分自身という個体が生き延びるためだけに、互いにいがみ合い、互いに奪い合い、互いに殺し合ってしまいます。そう、もしこの瞬間に世界中の人たちの心から愛のしくみが失われれば、あっという間に「人類は衰退どころか滅亡しました」……ですよね、妖精さん？

そうならないように人の心と人の社会を保たせてくれているのが、愛という心のしくみ、愛の力です。

【愛の形】

愛の形というものは、あいさつや気遣い程度の日常的な愛から、とてもとても深い自己犠牲を伴うような愛まで様々ですが、きっと一番根源的で多くの人にとってわかりやすい愛は、「親子の愛情」というものでしょう。

親は自然と、自分のこどもの喜び・悲しみをほとんどそのまま、自分自身の喜び・悲しみとして感じられます。こどもが楽しんでいる姿を心から喜び、こどもが悲しむことや傷つくことを全力で拒否します。そうしたいと自然に感じ、自然に求めます。

これは、子孫が繁栄していくことを目的に進化の過程で作られた、人にとってとても大切な心のしくみで、例えば食欲などとも同じように、紛れもなく「本能の一つ」と位置付けられる心のしくみです。

もちろん、こどもの方も、程度の違いはあれ、自分の親の喜びや悲しみに自然と同調します。そして、家族も同様、友人も同様……と、どこまでの愛が純粋に本能的なものであるのかは確かでなくとも、その愛の範囲は大きく大きく広がっていきます。

家族、親類、友達、恋人、同じ人種、人類、考え方によっては動物や植物・過去や未来の人間・小説の登場人物やアニメの主人公などにまで愛の範囲は広がり、その愛は程度や状況などによって、「優しさ」や「思いやり」、「慈しみ」や「配慮」、「同調」や「シンパシー」といった様々な言葉でも呼ばれます。

例えば日常的にも、「誰かのことを笑顔にしたい、楽しませたい、幸せを感じさせたいと思えたら」「自分が見て美しいと感じたものを、誰かにも見せてあげたいと思えたら」「楽しかったできごとを誰かに話して、一緒にその楽しさを分かち合いたいと思えたら」、それはその誰かを愛しているということ。

もっと当たり前には、誰かと自分とがともに幸せな気持ちであるために、笑顔で挨拶をすることも愛。例えば、それが賃金を稼ぐための業務の一環としての行動でもあっても、「誰かを不快にさせないために礼儀正しく振る舞いたい」と心から思えれば、それも愛。

愛は特別なものではなく希少なものでもなく、この社会もこの世界も、日常的に当たり前にとても自然に、愛に満ちています。程度の違いはもちろんあれど、誰もが誰かに愛され、誰もが誰かに愛を与え、愛を振りまいています。

現代のこの日本の社会において生じている問題の一つは、社会のしくみや文明の機器が発達していなかった以前の時代に比べて、愛というものが比較的偏って存在しており（愛にあふれた生活をしている人と愛から疎遠な生活をしている人というように極端に偏っており）、また、少なくない人たちにとって愛というものが実感しづらいものになってしまっていることにあります。

【愛は本能】

人が人らしい心のカタチを保ちながら生きていくためには、また、自分自身と自分の周囲の人間のことを本当に大切にしながら生きていくためには、この「愛という心のしくみ」を絶対の信頼を持って受け入れ続けていくことが大切です。

なぜなら、愛はもともと人の心に備わっている本能としての心のしくみで、それに逆らい、それを否定して生きていくことは、例えば、食欲という本能を否定して生きていくことと、人の心に与える影響としては何ら変わりないからです。

愛を否定することは、生物としての人間の心にとっては、とても不自然でいびつなこと。愛を否定することは、人であることを否定し、自分自身や自分の種の本来の性質をも否定すること。

【愛の効用】

誰かを愛すると、その誰かの喜びや幸せを自分自分の喜びや幸せとして感じられます。

そうして、喜びや幸せは無限に多く・無限に大きくしていくことができます。これは、自分の生きる意味や自分の人生の価値を無限に多く・無限に大きくしていくことでもあります。また、誰かの悲しみや不幸は、一緒に分け合うことで、時として小さくもできます。

このように、愛を素直に持ち続け感じ続けることで、人は、厳しい社会の中で現実に生きやすくもなります。

日常的で当たり前の愛と、その愛の大切さとを多くの人々が再認識することで、良い愛の連鎖を社会の中で実際に広げていくこともできます。そうして世界は変わります。

1―3　求めて満たされて、満たされずゆがんで

頭の中の天使と悪魔のイラスト

人が生きて子孫を残していくためには、生活の糧を得たり結婚相手を見つけたりなどなど、様々なことを現実になしていかなければなりません。大自然の中でも文明社会の中でも、個として・種として、生きるためにするべきことがいろいろとあるのは同じです。

【欲求】

ここで、人が生きていくための原動力となる「欲求」という心の力の性質について、確認をしていきたいと思います。

生きたい・愛したい・食べたい・眠りたいなど、「動物としてのものにより近い根源的な欲求」が、まずあります。

続いて、認められたい・評価されたい・知識や経験を得たい・世の中の役に立ちたいなど、「衣食住足りて礼節を知った後に得られるだろうような高次の欲求」というものもありますよね。

さらには、旅行に行きたい、楽しく遊びたい、「いいね！」を集めたい、ツムツムやりたい、逢いたかった〜なアイドルのライブに行きたい、とにかくお金を稼ぎたいなどなど、現代社会の私たちは本当に多様な形の欲求を持ちますが、それら全て含めて、「欲求とは、人を動かし生かしている根源の心の力」です。

【快と不快】

人も含めて全ての動物は「欲求」を自分の心に生み出し、それが満たされることを求めて考えたり行動したりして実際に外界（自分の心の外の世界）にも働きかけ、欲求が満たされることで「快」を、欲求が満たされないことで「不快」を得ます。

快は心と体に良い効果をもたらしてくれますが、「不快」は心と体に良くない影響、いわゆる「ストレス」をもたらしてしまいます。

「心と体にプラスに心地良く影響する快を求め、心と体にマイナスにダメージを与えるように影響してしまう不快を避ける」というシンプルな心のしくみが、人を突き動かし、人を生かしています。

【昇華と倒錯】

ところが、当たり前のことですが、例えば、現代日本のこの社会の中では、人は動物としてそのままの欲求を全て満たし続けながら生きることなど、もちろんできません。睡眠欲や食欲が常にまる出しでは、会社勤めにも学校生活にも影響が出ますし、物欲や性欲がまる出しでは、すぐに警察のお世話になれてしまいます。

ですので人は、大人になるにつれて、自分の心に生じている欲求という心の力を抑圧するようになります。平たく言うと「我慢」をするようになるということですね。しかし、我慢してばかりでは、ストレスが溜まり続けてしまいます。

そこで人は、不快を感じ続けることを避けるために、もともとあった本来の欲求の形を別の形に変え、心の力を別の方向に向かわせ、叶えられなかった欲求の力を発散&解決できるよう、心のしくみを作り上げます。これは、人が自分の心を守るための自己防衛の機能の一つでもあります。

健全な社会や良い成育環境の中で育つことができれば、心の力は、社会規範（その社会の中で多くの人が持っている常識や価値観や考え方）の影響も受けつつ、社会に適した・社会に肯定され歓迎され認められる「良い方向の別の形」に向かって発散&解決されることが多くなります。

例えばこちらは、社会の役に立って人のためになる仕事や多くの人に価値を認められるような趣味、誰かに無償で価値（楽しさや喜びなど）を与えられるような慈善活動に力を向かわせるといったことで、「昇華」という言葉で呼ばれます。昇華は、多くの場合、愛や善や正義と同じ方向性を持ちます。

一方、健全でない社会だったり現代日本のように社会規範が希薄過ぎたり、極端過ぎる教育を受けたりするなど、良い形の社会規範をうまく取り入れることができなかった場合には、社会に適さない・社会に認められない「良くない方向の別の形」に心の力が向けられてしまうことがあります。

こちらは例えば、誰かを傷つけてしまう暴力や誰かから価値を奪い去ってしまう犯罪などに傾倒してしまうといったことで、「倒錯」という言葉で呼ばれます。倒錯は、多くの場合、罪や悪と同じ方向性を持ちます。

なお、昇華と倒錯は必ずしも完全に分けられるようなものではなく、例えば、「毎日毎日、一日中ネットゲームに没頭すること」でも、自分の家族に心配を掛けさせてしまう点では、罪に近く倒錯ですが、ネトゲ仲間さんたちを楽しませたりしている点では価値や意味を生んでおり愛と同じ方向性を持ったりもするので、昇華と言える場合もあったりします。

「世のため人のための仕事に没頭しつつ、家族の幸せをおろそかにする」「世界中を感動させるような有名スポーツ選手になる過程で、自分の将来について家族に心配を掛けさせる」なども、愛や善や正義と同じ方向性を持つ昇華であると同時に、悪や罪と同じ方向性を持つ倒錯です。人の心は、しばしばこういったジレンマに陥ります。

【心の麻痺】

「欲求」というものは、動物としての純粋な心の状態では非常に強いもので、それを満たすために自分自身をまっしぐらに突き進ませます。

おもちゃを目の前にした小さなこどもも、大好きなキャットフードを目の前にしたネコも、何のためらいもなくまっしぐらです。欲求を満たせない時に感じる不快感というものに対しても、動物としての純粋な心はとても素直で敏感で、その不快感を全力で避けようとします。

それに対し、巨大で安定した社会にすっかり溶け込んだ私たち現代人の心の中では、欲求を満たせない時に感じる不快感というものは、今更特別に取り上げるまでもないほど当たり前過ぎるものになっており、モヤモヤとした感覚をただただずっと抱かせ、しかし心を少しずつですが確実にむしばんでいきます。

空腹で不快でも眠たくて不快でも誰かに叱られて不快でも自分が愛されなくて不快でも、社会生活の中で人は、誰かからの評価や意識を気にし続け、感じている不快感をある程度我慢し続けます。

そうして、ずっとずっと満たされず、昇華も倒錯もできない心の力が限界を超えるほどに溜まり過ぎた人間の心は、自分自身の心や体を守るために、満たせない欲求を喚起させるようなものを「感じること」「考えること」「求めること」を部分的にできないように、心を無意識に麻痺させ、心の機能や心の力を失わせていきます。

例えば、「うつ」と呼ばれる心の状態なども、このような心の麻痺・心の機能の喪失が主な原因となっている場合が少なくないです。

現代のこの日本の社会に生きる私たちは、不平不満を力いっぱい外に発散することなどほとんどなく、この社会にとてもよく溶け込んでいて自分自身の心の動きに対して麻痺しがちで、欲求を満たせないことでのなんとなくのモヤモヤも大量にあふれるほど抱えがちです。そして、それになかなか気付けません。

ですので、時々立ち止まって自分自身の心の声に耳を傾け、「感じることや考えることや求めることなど、心の重要な機能が麻痺してしまっていないか」ということを意識し続けることが、私たちが健全な心を持って生き続けるために、とても大切です。

【生きがい】

もう少し、付け加えますね。

私たちがこの社会の中で人としての心のしくみを保ちながらうまく生きていくためには、自分自身の心を適度にバランス良く抑圧し、満たせない心の力というものをうまく昇華できるように「楽しめる何か」や「没頭できる何か」や「好きな何か」を見つけることが、大きく役立ちます。

ここで見つける「好きな何か」に関してですが、もちろん、「自分が大好きなゲームやアニメに個人的に没頭すること」でも、「自分の好きなアイドルやアーティストを追っかけ続けること」などでも、それは、抑圧された心の力が昇華できるので充分素晴らしい趣味で、人生を多様にでき、人生を楽しくできることではあります。

ですができれば、「愛と同じ方向性を持った素晴らしい昇華」ができると、愛のしくみによって自分の感じられる価値や意味も大きく高められ、また、社会にも自分の周囲の人たちにも評価されやすくなり、多くの場合、実際に自分の人生を充実させることができて、生きやすくもなります。

このような理想的な昇華の例としては、例えば、「ボランティアや慈善活動・誰かに喜びや価値を生み出せるような仕事や趣味のために頑張ること」などが挙げられます。自分の働きかけによって幸せや喜びを感じてくれている誰かがいることを実感することで、自分の心がその誰かの幸せや喜びと同調し、自分自身もより大きな幸せや喜びを感じ続けられます。

美味しいものを提供して誰かを笑顔にするシェフやパティシエさん、心地良い音楽を提供して誰かと幸せな時間を共有できるアーティストさん、困っている誰かを助けることで喜んでもらうボランティアさんなど、価値や意味を生み出せるほとんど全ての仕事や活動が、このような素晴らしい昇華に該当するのでしょう。

なお、もちろん、「自分の家族を笑顔に・幸せにするために、日々、仕事や家事を頑張ること」なども、素晴らしい昇華ですが、これはむしろ、昇華ではなく本来のままの愛の形に近いとも言えるのでしょうね。

お母さんは家事と子育てに専念してお父さんは仕事で社会に（他の多くの人たちの心に）価値を生み出し（もちろん、お父さんが主夫の場合もありますね）、また、これから社会に多くの価値を生み出すこどもたちを家庭で育てる。組織や企業単位で、個人ではできないような規模で多くの価値や意味を社会に生み出し続ける。愛と呼ぶのが正しいのか昇華と呼ぶのが正しいのかはイロイロですが、このように、愛を中心とした「人の心の力」で、社会は回っています。

自分なりの良い昇華の形（愛の実現に関わるような昇華の形）を見つけること、そして、その昇華のしくみを自分の心の中で定着させて強化させること。さらには、やがてそれは、自分自身の個性となり、信念となり、生きがいともなります。

1—4　常識がわかりづらいのよ、この社会

奇抜なファッションをした
男女のイラスト

人の心は大自然の中での進化の過程でできたものなので、もちろん、この社会にピッタリと適応できるようになど、できていません。

逆もまた然りです。この社会ももちろん、そこに属する全ての人たちが生きやすいようになど、できていません。

ですので、人は、社会の中で生きていきながら、我慢をしたり価値観を得たり葛藤をしたり、時には昇華や倒錯をしたりもし、もちろん良い意味でもですが、心を整形し成長させ、ゆがめ続けていきます。

【心をうまくゆがめやすい社会】

ところが、ここで一つ問題になることがあります。それは、社会の状況・環境・性質などによって、「その社会で生きる人たちがうまく自分の心をゆがめられるかどうか」が大きく左右されてしまうということです。

これは、私たちが今暮らしているこの日本の社会において、特に顕著な問題となってしまっているであろうことでもあります。

例えば、宗教や思想などに代表されるような、「善悪や価値といったものに関しての社会規範」がハッキリと成立している社会では、その社会規範が必ずしも完璧な良いものではないにしろ、人は自分の属している社会に合うように自分自身の心をゆがめやすく、社会もまた、うまく心をゆがめることができた人にとって非常に生きやすいものとなります。

特定の宗教を全ての人が共通に強く信じている社会では、社会共通の間違いのない善悪の価値基準を、こどもの頃から家庭でも学校でも社会でも与えられ続け、人は迷うことなくスムーズにその価値基準を得ることができます。

「朝と晩に毎日お祈りをしなさいネ」と言われて育ち、現実にもみんながそれを実行している社会であれば、誰もが迷わずに当たり前のこととしてそれを受け入れられます。善悪の基準や幸せの条件もハッキリとし、「親切な良い人間であり続けていれば天国に行ける」「善い行いをする自分のことを神様が常に見てくれている」と全員が信じ続けている社会では、犯罪につながる悪い考えなどは、誰の心にも起こりにくくなります。

また、その同じ価値観を多くの人たちが持った社会の中では、「その同じ価値観に基づく善行」「その同じ価値観に照らし合わせて価値の高い言動」などは、同じ社会に属する自分の周囲の多くの人間にも当然高く評価され、認められることができます。そして、うまく価値観を獲得できた多くの人の心の中で、自分が社会の中でより生きやすくなるこれらの価値観は自然と強化されていきます。

この過程を繰り返す中で、社会規範自体も、より強固なものになっていきます。はい、安定したステキな社会のいっちょあがり。

このように、絶対的な共通の価値観・社会規範が強く存在している社会では、人の心はうまくキレイにゆがめられやすく、社会に抵抗なく溶け込むことができ、人はとても生きやすいのです。

【心をうまくゆがめづらい社会】

では、私たちの生きている、この現代日本の社会ではどうでしょう?

私たちの生きている現代日本の社会は、宗教や思想などの絶対的な共通の価値観はもちろんなく、社会規範も自由過ぎて多様過ぎて弱いものとなってしまっている側面があります。多くの人の人生において、「何を大切にしてどう生きることが正解か?」は、親も教師も誰も教えてくれません。

あえて言えば、「全てが正解で、何でもあり」という傾向の強い社会規範です。またその割に、「異質を嫌い、全員が同じであることを求める」という……考えてみると訳のわからない社会規範になってしまっているのかも知れません。

結果として私たちは、まるで一人一人が宗教の教祖や思想家でもあるかのように、迷い続け、悩み続け、考え続けることを余儀なくされます。サルトルさんの言う「自由の罪」や「自由の罰」ってヤツですね。

そして、このような「アヤフヤ社会規範の社会」では、人が価値観や思想の選択を簡単に誤ることで、人として本当に大切な心のしくみをも失って生きづらい状況になってしまう危険性というものも、相対的に高くなります。正しい道が見えにくいがゆえに、「足を踏み外しやすい社会」になります。

現代のこの日本の社会は、快楽的な娯楽にあふれ、「しなければならないとされていること」は過去の時代よりも比較的少なく、物質的な豊かさや時間の余裕は過去の社会よりも比較的多くありますので、信念と呼べるような強い価値観を持っていなければ簡単に堕落《だらく》できてしまいます。

来る日も来る日も一日中なんとなくYouTubeやSNS見続けたりスマホゲームし続けたりすることに依存するような個人的でちょっとした堕落もあれば、誰かを不幸におとしめてしまう犯罪につながるような悲しい堕落もありますが、強い社会規範のないこの社会は、比較的、道を踏み外しやすく堕落しやすい社会です。

そして、このような堕落は、家族を心配させたり誰かを不幸にしたりしてしまうという意味では、罪となり倒錯となる可能性も高いものです。「堕落」と「倒錯」は、その欲求が受動的で弱いイメージの言葉か能動的で強いイメージの言葉かという違いを除けば、性質としては近い心理現象と言えるのかも知れませんね。

日本社会全体を見ても、「成人したらそろそろ実家を出て、結婚をしてこどもを産み育てることが、良いことで幸せなことで素晴らしいこと」「きちんと勉強をし、就職や起業をして働いて人の役に立つことが、正しく誇らしいこと」といった過去には強くあった社会規範（良い社会規範であったかどうかは別にして）が弱くなったために、既存の人口バランスや経済バランスが崩壊しかけているという面があります。

お話を戻します。この今の日本の社会では、「人に優しくあること」「家族を大切にすること」などを奨励するような、人の本能である「愛のしくみ」と同じ方向性を持ち、人が幸せに生きていくために欠かせない大切で当たり前な価値観でさえ、強い社会規範として必ずしもうまく存在できてはいません。

このことが、少なくない数の人たちを生きづらい状況にさせる原因となってしまっています。

【価値観の再獲得と社会規範の再構築】

では、どうするか？　私たちはどうすればよいのか？　どげんすれば良かとじゃろか？　アヤフヤな社会規範さんには現状では期待できそうもないので、良い価値観を自分で選び取り、自分の心の中に価値観を作り出し、定着させていくしかありません。

ぼんやりとした社会規範しか持たないこの現代の日本の社会で生きる私たちにとっては、「愛に関すること」や「人にとっての意味や価値に関すること」など、少なくとも中核となる部分では、正しくて良くて自分が本当に生きやすくなるような価値観を自ら選び取り、意識して強く持ち続けることが大切です。

そして、こういった価値観を多くの人たちが共通に持つことで、それはやがて社会規範となり、そこに属する人たちが現実に生きやすい・足を踏み外しにくい社会の創造にもつながっていきます。

多くの人を幸せにできるより良い社会であるためには、例えば、多様な個性の尊重や生き方の選択の自由などは、このような「基本の部分での良い社会規範が強く存在している」という前提の上で求められるべきなのでしょう。

1―5　それ意味なくない？　いや、全部意味あります

肩をすくめる白人男性
のイラスト

ここでは、「人にとっての意味や価値」について、定義をしていきたいと思います。

私のところにご相談を寄せて来られる方の中には、自分の人生や自分の過ごす毎日に意味や価値をうまく感じることができていない人が少なくありません。

物質主義の現代社会で陥りがちなワナなのでしょうが、金銭・モノ・合理性などを求め過ぎると、人にとっての本当の意味や価値は、むしろ感じづらくなります。

本来、人の欲求の目的は、常に、人の心にもたらされる何かです。社会のしくみや文明の機器は人の心ではないので、金銭もモノも手段であって、目的そのものにはなりえません。

社会や文明とは、あえて言えば、「合理的なしくみを通じて、多くの人の心に価値や意味を多く大きく安定して生み出そうとした試み」です。

それに対して、本来の人の心というものは、物理的・合理的な観点ではムダでいっぱいです。

【物理的にはムダが多くとも】

例えば、人が何か新しい知識を得て、何かを新しく記憶すること……。記憶などしなくとも、いつでもどこでも必要な時にスマホで「O. K. Google さん」に聞けば教えてくれるので、ムダと言えるかも知れません。ちなみに私は iPhone 派。

例えば、人が何かを考えたり、判断したりすること……。ビッグデータに基づいてAIに判断させた方が、ずっと合理的な判断が可能と思われますので、これもムダと言えるかも知れません。

例えば、人が何かを感じたり求めたりすること……。一人一人の人間の生存や生活に必要なことや必要なものは、より良く全体のバランスを保てるように作られた社会のしくみ（歴史的には失敗続きですが理想的な社会主義や計画経済？）に判断されて自動的に与えられれば良いとも合理的には考えられます。

感情や欲求といった人間の心の動きは膨大なエネルギーの浪費で、軋轢《あつれき》や葛藤の原因ともなり、これまた大きなムダと言えるかも知れません。

このように、物理的・合理的にはムダが多いように思える人の心のしくみですが、人を人として成り立たせているものも、紛れもなく、この非合理的でムダの多い「心のしくみ」です。

そして、このムダの多い「心」というものこそが、人にとって唯一の意味や価値の指標となるもので、人にとって唯一の真理や真実となるものです。デカルトさんも言っています。「我思う、故に我在り」です。

自分の心に生じる全ての現象に意味と価値とを認めなければ、また、誰かの心にもたらせる全ての現象に意味と価値とを認めなければ、人は究極的には、自分の存在する意味や価値をも、自分の生きる意味や価値をも感じられなくなってしまいかねません。心に生じる全ての現象に意味と価値とを認めることで、人は、自分の生きる意味や自分の存在価値を肯定できます。

【意味と価値の確認】

例えば、同じ栄養を得るというだけの行為なのに、わざわざ苦労して求めて美味しいものを食べることに意味や価値はあるのでしょうか？

もちろん、あります。より美味しいものを食べたいと心が求め、実際にそれを見たり香りを感じたり食べたりすることで感覚をし、幸せな気持ちを得るというその過程と結果の全てが、人の生きる意味となり価値となるもので、実際にも意味や価値を人の心の中に素直に感じさせてくれるものです。……あー、某バーガー屋さんのワッパーが食べたくなってきた。

……ゆっくりと休むこと・美しいものを見ること・大自然に触れること・誰かと心を通わせること・誰かと触れ合うことなどなど、それは人の心にもともと備わっている心のしくみによる心の動きや、価値観を得たりした結果として形成されている昇華後の心のしくみによる心の動きだったりと様々ですが、求め考え感じる全てに、意味があり価値があります。

もう少し極端で根本的なところまで考えていきますね。お付き合いください。

例えば、いつかは自分が死んで失ってしまうのに、一生懸命になってお金を稼ぐことに意味や価値はあるのでしょうか？

もちろん、あります。「お金を稼ぐためにする仕事を通じて、誰かに価値を与えて、誰かに喜びや幸せを感じさせること」「稼いだお金を使って、自分の愛する家族を幸せにすること」など、自分の心に生じさせた全てに意味や価値があり、また、誰かの心に生じさせた意味や価値は「愛のしくみ」を通じて自分自身の心にも相乗的に大きな意味や価値を感じさせます。

稼いだお金自体ではなく、その過程と結果が人の心にもたらす様々な心理現象に意味や価値があります。物理的な「モノ」や「現象」は全て、唯一、「自分自身を含めた誰かの心に何かを生じさせること」によってのみ、人にとっての意味や価値を生じさせます。

もう少し続けます。例えば、いつかは人類が滅びてしまうと予想できるのに、家庭を作ってこどもを育み、子孫を残すことに意味はあるのでしょうか？

もちろん、あります。生物としての素直で純粋な本能でそうしたいと望み、そのために考えたり行動したりし、望んだことが叶って幸せを感じることにも（もし望んだことが叶わなくて別の何かを感じることにも）、やはりそこに意味や価値があります。

【ここでのまとめ】

心が機能してさえいれば、私たちの何気ない日常の全てに意味や価値が見い出せます。あるいは心さえ機能していなくとも、さらには死んでしまった後であっても、その誰かの存在が別の誰かの心に何かを生じさせれば、そこには意味や価値が生じています。無意味な人・無価値な人など、誰もいない。

日差しを暖かいと感じること、自然を見て美しいと思うこと、美味しいものを食べること、好きな音楽を聴くこと、本を読んで知識を得ること、誰かに優しくし優しくされること、大好きな人に笑顔で挨拶をすること、それが誰かの心を少し幸せにし、それを通じて自分の心も少し幸せになれること。こういったことの一つ一つが、大切でかけがえのない、人間の生きる意味や価値の全てです。

経済やモノを優先しがちなこの物質主義の社会の中では軽視され忘れられてしまいがちですが、人にとって意味や価値がありそれを実感させるのは、物理的なモノやできごと自体ではなく、常に、それを通じて人の心に生み出される心理現象の方です。

「意味や価値といったものの判断を、物理的・金銭的な損得によってではなく、人の心を基準として行う」ということが、人が本来の心を保ちながらこの社会の中で生きていくためにとても大切なことで、また、人がこの社会の中で生きやすくあるためにもとても大切なことです。

【補足：心の力を取り戻す】

心は、使わなければスポイルされます（甘やかされて力を失い、弱くなります）。例えば、あまり深く考えずに惰性でずーっと作業のようなスマホゲームを繰り返していたりしても、心はスポイルされて、力を失います。

また、自由を完全に奪われ、考えることや求めることや感じることをことごとく禁止されたような環境で生き続けた場合なども、それこそ心を守って生き続けるために、心は麻痺し、能動的な力を失います。

逆に、心は鍛えれば筋肉のように強化できます。

感じる力や考える力などを一度は弱くしてしまった心も、最初は意識してそれらを取り戻して定着させることが必要ですが、あとは自然と段々と、生きている意味や価値を実感しやすい、素直で健康的でアクティブな心に強化していくことが可能です。

今日、今、この瞬間からでも、意識次第で心は力を取り戻せます。

例えば、あまり抑圧されずあまりゆがんでいなかった「こどもの頃の心」のような、自分の心に生じる現象に素直に意味や価値を感じることができ、それを素直に求めることができていた心の力を取り戻すことができます。

当たり前ですが、「心を大切にすること」が、「人としての心を保つこと」につながります。

1—6　人の幸せのための社会じゃなかったっけかな？

仕事を奪う人工知能のイラスト

先におことわりしておきたいのですが、私がここで行いたいのは文明批判などでは決してありません。

「文明の恩恵ばかり重視し過ぎず、人の心を重視することとのバランスをもっととった方が、多くの人が個人としてもより幸せを感じられるようになり、社会としてもより良い社会になれるのではないかなー？」ということの提案です。

では、参ります。

【メディア】

例えば、テレビやインターネットなどのようなメディア（情報機器・情報媒体全般のことを、メディアと呼びます）が発達していなかった時代、人が何か情報を得られるのは、直接誰かの話を聞くことによってがほとんどでした。

その状況では、ある人にとって、その「自分に情報を与えてくれる人」の価値は非常に高かったはずで、「誰かと交流したい」と求める親和欲求なんかも「誰かに認められたい」と求める承認欲求なんかも互いに満たされたはずです。

次に例えば、電話やメールやSNSなどのようなメディア（通信機器・通信媒体全般のことも、メディアと呼びます。双方向のメディアが当たり前の世の中ですしね）が発達していなかった時代、人が誰かとコミュニケーションできるのは、直接誰かと顔を合わせ、言葉を交わし、時に肌を触れ合うことによってがほとんどでした。

同じく、その状況では、ある人にとって、その「自分がコミュニケーションを交わす相手となる人」の価値はお互いに非常に高かったはずで、「誰かと親しくあり、誰かと心や体で触れ合いたい」と求める親和欲求なんかも互いに満たされたはずです。

と、このようにシンプルに考えても、メディアが発達していなかった時代の方が、もちろん情報の速度と量は劣っているのでしょうけれど、人の心にとっては良いことずくめでハッピーな影響の方が多そうですよね。

【メディアが人を代替し、人の心をも代替する】

それに対して現代社会では、文明の機器が「人の役割だったはずの部分」の多くを代替しています。その結果、物理的には便利で効率的になるとともに、「人が直接に誰か別の人と関わることによって感じられていたはずの価値や意味」の多くが失われてしまっています。

例えば、ほんの数十年前からあっという間に変わってしまったこととして、スマホやインターネットやテレビなどのようなメディアの登場がありますが、これらが世の中にもし無ければ、人はもっともっと、「現実の人と人との関わり合いや触れ合い・顔を合わせての会話やコミュニケーションの全て」を大切にできます。

自分が愛し、意識し、コミュニケーションを取る相手が、SNSやメディア上の無数の誰かに薄く分散されたり一方通行になったりするのではなく、現実に関わり合える人たちに厚く集中し、家族や友達や恋人といった自分の大切な人たちのことを、お互いに本当に心から大切にできます。

現代社会において少なくない数の人は、スマホやインターネットやテレビなどで情報や刺激を便利に大量に得続けることで心を疲れさせるとともに、メディアを通じた人間関係を優先させて現実の自分の人間関係をないがしろにしてしまっています。

大好きな家族と日々何気なく会話をしたり楽しく過ごしたり笑顔でコミュニケーションをとったり……、ホントはそういったことが人にとっての幸せの中核で、それを多くの人が心の奥底では理解し感じているハズなのに、メディアを含めた他の何かの方をより優先してしまっています。

ある人は、YouTubeやテレビで活躍する現実には関わり合いのない異性のことを追いかけるのに夢中になり過ぎて、実際の自分の人生の中での恋愛のチャンスを失ってしまうかも知れません。

メディアとは別の例としては、ある人は、家族がいることのぬくもりをペットに代替させることで、実際に自分の家庭を築きたいという欲求の一部を弱いものにしてしまうかも知れません。

ある人は、自動販売機やＡＩロボットに自分の仕事を奪われて、人とコミュニケーションをする楽しさや人の役に立つ仕事をできていた充実感、感じられていた人生の価値や意味の一部をも、失ってしまうかも知れません。

ある人は、「常に自分のすぐそばにいて今にも連絡をしてくれたり永遠に連絡をくれなかったりする気まぐれな不特定多数の人間」という大変不自然で迷惑で気になる存在を肌身離さず持っているスマホに代替させ、それを常に意識し続けることのストレスで心を疲れ果てさせてしまうかも知れません。

これら全て、何かに人の代替や人の心の機能の代替をさせることによる功罪（良い点とともにもたらされる良くない点）です。人の心が犠牲になってしまっていますが、物理的に見える犠牲ではないので、無視されがちです。

もちろん言うまでもなく、人の役割の代替や人の心の役割の代替をいろいろなものにさせることによって、社会を便利にしたり効率的にしたりすることは、必ずしも悪いことではないのでしょう。

メディアや様々な機器の発展により、人の得られる情報や刺激は多く多様になり（それはもう人の心の許容量の限界を軽々と超えるほどに）、新たな人と交流できる機会も増え、作業は効率化されて、「人がしないといけないこと」は減って、一部の社会では余暇を人が自由に使えるようになり、人生の楽しみ方も自由になって多様化しましたよね。

ですが、これらの様々な代替による人の心への良くない影響というものを無視し過ぎてしまうと、人の心が犠牲になってしまい、本末転倒な結果になってしまいかねません。本来の目的は、人の心、人の幸せです。

SNSを使ったり、ペットを愛したり、アニメに夢中になったり、芸能人を追っかけたりなど、代替を楽しむのも適度であれば、人生を豊かに楽しくすることなのでしょうし、社会の中のごく一部の人が過度な代替をするくらいであれば、「個性的な人」というレッテルが貼られるくらいで済むのでしょうが、あまりにも多くの人たちが人生や人の心を犠牲にするほどの過度な代替をし続ければ、多くの人の心のバランスも、社会のバランスさえも崩れます。

【代替の利用やメディアによる影響と心とのバランスをとる】

人の心、それも特に自分が現実の人生の中で関わっていく家族や友人を中心とした大切な人の心を大事にするということが、この「人の代替や人の心の機能の代替にあふれた社会」の中で、人が健全な心を保ちながら生きていくためには大切です。

例えば、便利に合理的に量や速度を求めるメディアを通じて代替的な人間関係や刺激や情報を「量を優先して」求めるばかりではなく、時には、現実に自分が出会える人間との関係の中で互いの心に意味や価値を生み出し合えることなどを「質を優先して」求めること。

フォロワーからの「いいね！」よりも、自分の近くにいる大切な家族の幸せや笑顔を求めること。

例えば、便利に場所と時を選ばずにできるＳＮＳで連絡を取るのも良いですが、時には、実際に大切な誰かと時間と場所とを合わせて直接会い、顔を合わせて心からの声や表情が直接心に届き響くように伝え合うこと。

メールも電話も手紙もＳＮＳのメッセージもZoomもSkypeも、直接誰かと顔を合わせて会っての心の通じる会話を完全に代替することはできません。情報の伝達は果たされるかも知れませんが、コミュニケーションをしたい欲求は一部不完全な形で満たされるだけです。

例えば、必要な情報をネットで便利に調べるのも良いですし、ＡＩに何かの合理的な判断をさせるのも良いですが、本当に大切なことや好きなことに関しては、自分で覚えたり自分で考えたり自分で感じたり自分で判断したりすること。

人の心、自分の心に生じさせる全てが、人にとって唯一の意味や価値の基準となります。それを機械やメディアに代替させれば、代替させなければ心に生じさせることができたはずの意味や価値が、一部分なり大部分なり失われるのです。

代替に頼り過ぎずに、現実の人の心を大切にする、こういった日々の小さな心がけや行動の繰り返しが、人としての心を保ちやすい・自分の生きている意味や価値を実感し続けやすい・より生きやすい生き方にもつながります。

便利な文明の機器も社会のしくみも、もともとは手段であって目的ではなかったはずで、それらが存在する目的は、社会に属する多くの人の心がより幸せに豊かになることにあったはずです。残念ながら、その優先順位は崩れ掛けてしまっています。

「自分自身の心や自分の大切な人の心を充分に大切にできている」という前提の上で「代替の恩恵にあずかって効率的で合理的な文明の機器やメディアを使う」といった優先順位を持ち続けることが、社会の主体が人であり続け、様々な文明の機器や社会のしくみの目的が人の幸福であり続けるためにも大切です。

1—7　スマホとかＳＮＳとか……正直めんどくさくナーイ？

ＳＮＳ疲れのイラスト

メディア批判の続きのような感じになりますが、それだけ、現代社会において人の心に強い影響を与えてしまっているモノということで、ご理解くださいませ。

例えば、一日中目的もなくずっとテレビを見続けていると、誰でも心が疲れてきます。同じく、一日中目的もなくずっとＳＮＳに触れ続けた場合も、心が疲れてきます。多過ぎる情報と強烈な刺激による心への負荷のためです。疲れない場合は、情報や刺激にフィルターをしているか、心が部分的に麻痺しかけています。

現代社会は「情報化社会」とよく言われますが、人間の心や脳は、この多過ぎる情報の量と質・刺激の量と質を真正面から受け続けることに耐えられはしません。その意味では、むしろ「情報過多社会」です。

ほんの百年ほど前までは、人が得られる情報のほとんどは、自分の周囲の家族や友人など、ごくごく限られた人たちから与えられるもののみでした。人が得られる刺激も、自分の実生活の中での直接的な体験を通じてのものがほとんど全てでした。

はい、おさらいです。情報媒体というものが、まずは文字中心の新聞や書籍や雑誌、音声を伝えるラジオ、映像をも伝えるテレビといったように急速に発達し、通信手段も手紙から電話や携帯電話……と急速に発達しました。これら両方とも、「メディア」でしたね。

今は多くの人が肌身離さず、まるでそれ自体が家族や恋人でもあるかのようにスマホを持ち歩き、インターネットやＳＮＳに絶え間なく触れ、情報や刺激を否応なく得続ける生活となっています。これはおそらく、百年も前の人から見れば異常な環境で、病的ですらある心理状態です。「そんなに負荷与えて、心、大丈夫？」というくらいの状態です。

ちなみに一説によると、現代の私たちが一日で得る情報の量は、平安時代の人が一生かかって得られる情報の量とほぼ同じだそうです。私たちの心に、日々、大きな負担が掛かり続けていることが、よくわかります。

【多過ぎる刺激や情報】

人間も他の全ての動物と同じく、長い時間の中で少しずつ進化して今の状態の心や脳を手に入れることができた「動物の一種」です。ですので、その人間の心や脳が、ここまで急激な情報環境・刺激環境の変化にぴったりと対応して進化できているはずは、もちろんありません。

無限に絶え間なく飛び込んでくる目や耳からの情報や刺激は、多くの人々の心や脳を疲れさせ、そして人は、これ以上疲れまいとして、心や脳を守るために、自らの心や脳を麻痺させます。ほぼ無自覚のうちに、人は、自分の得られる情報や刺激の一部を、得られないように遮断します。

ここで残念なことに、過去には宗教や思想といったものが担っていたであろう「愛を肯定し、心の価値を定義する、良い形の社会規範」が確立していない現代日本のようなアヤフヤ社会では、この情報や刺激の遮断は、それぞれの人の心の中で、自分自身の心や自分の大切な人の心を大切にできるようにうまくは必ずしも行われません。

例えば、本来は自分の人生で本当に大切にすべき、目の前にいる自分の家族や自分の友人などからの情報や刺激といったものを遮断してしまい、ネットやスマホやＳＮＳの中の安全で大量で自分好みの情報や刺激を得ることを優先してしまう人がいます。

家族との食事や友人との飲み会の席でも、スマホばかり見ている人が少なくなかったりしますよね。誰かが目の前で話しているのに、それよりもＳＮＳの通知やメール連絡があった誰かのことの方が気になったり……。

このような傾向がどんどん強化されていってしまうと、ともすると人は、自分の現実の人生を大切にできなくなってしまうかも知れません。

自分自身の心や自分の周囲の大切な人たちの心をも、大切にできなくなってしまうかも知れません。

【多過ぎる情報や刺激と心とのバランスをとる】

現代社会にあふれている、ひっきりなしの多過ぎる情報や多過ぎる刺激は、人の心をかき乱すノイズになりかねません。

それがなければ平穏で心穏やかだったはずなのに、このノイズにより心は乱れます。情報量は多くて情報の速度も速くて確かに便利かも知れませんが、それによって人の心が幸せになってはいないケースが非常に多い。

このようなノイズを代表するものが、現代社会においては、おそらくスマホです。携帯することができ、遠くにいる不特定多数の人や情報や刺激と、ずっと繋がれ続けてしまいます。

休まることなくずっとであるだけに、心は疲れ、心は麻痺し、心のしくみの一部が壊れていくことも珍しくはありません。その上で、スマホゲームも含めて依存性は高く（依存性が高くなるように作られており）、扱い方を誤れば、究極的には「人をやめるかスマホをやめるか」みたいな状態にすらなる、人の心の性質にうまく残酷に働きかける麻薬のような性質をも持つものです。

私のところに相談に来られた方の中にも、自分とスマホとの距離の置き方を調整してスマホ依存を断ち切ることで、心の負荷が軽減されて、現実の人間関係と自分の心を大切にできるようになり、心のバランスを保ちやすくなった方が少なからずおられます。

この情報過多・刺激過多な社会の中で人が本来の心のかたちや愛のしくみを保ちながら人間らしく生きていくためには、情報や刺激が多過ぎる社会や環境に身を置いているということをまず自覚し、時には、ノイズとなる情報や刺激を意図的に遮断して（スマホやSNSやネットを休憩したりして）心や脳のバランスをとったり、「何が本当に大切なのか」を時おり自問自答したりして、人間らしい心のバランスに修正し続けることが大切です。

スマホやネットやメディアの奴隷となっていないか、自分の心を見つめ直し、自分の心を自由な状態に保ち続けることが大切です。

2―1　さぁて、人としての心を取り戻しましょうか

「心機一転」のイラスト

現代の多くの人間社会は、もちろん、大自然の世界とは異なります。人も生物で動物で、その心は大自然の中で長い進化の時間を経てつちかわれてきたものですので、急速に発展した今の人間社会にピッタリと適したものでは決してありません。

進化にかかる時間の長さと文明社会と呼べる時代になってからの歴史の短さとを考えれば、きっと人間の心はまだその多くの部分が、「野生の中で本能のままに生きる用の仕様」にできています。

だからと言って、デンジャーな野生の中で実際に生きることが今の私たちの生活よりも総じて幸せであるとは全然言えないのでしょうが、「自然とともに生きていた原始の人の心が今の私たちの心の中にも確実にある」ということを自覚しておくことは、動物である人間が、動物にとっては不自然な現代社会を生きていく上で大きく役立ちます。

そして、「大自然にはなく現代の人間社会にあるものの中で、特に人の心に強い影響を与えてしまうもの」の種類とその性質を知り、それらに対しての心構え・扱い方の心持ちのようなものを知り、自覚し、意識し続けることで、人としての心を保ちやすくしたり、ゆがんでしまった人間の心を元に近い自然な形に近づけていくこともできます。

2−2　まずは、厄介なメディアというものの攻略から

スマートフォンを使うのを
我慢している人のイラスト

【ちょっと復習】

「スマホとかSNSとか……正直めんどくさくナーイ？」のところでも触れましたが、現代社会はメディアからの情報や刺激にあふれています。街中をただ歩いていても、都会であれば特に、様々な情報や刺激を勝手に得続けることになります。スマホが一台あれば、決してすべては把握しきれないほどの情報と刺激に指一本で簡単にアクセスできます。

そして、テレビ・インターネット・スマホなど、様々なメディアを通じて情報や刺激を日常的に大量に与えられ続けてしまうことは、動物としての人の心には過負荷で、人の心はそれを真正面から受け止めて耐え続けることができるようにはできていません。

心を健全に保ち続けるためには、無限に近いほどにもたらされる情報や刺激を、自分の心にとってちょうど良いようにコントロールすることが大切です。

「人の幸せのための社会じゃなかったっけかな？」のところでも触れましたが、テレビやインターネットやスマホといった情報媒体・通信媒体などのメディアが「人の役割の代替」や「人の心の機能の代替」をしてしまうことによる影響の問題もあります。

例えば、テレビやインターネットなどが無かった時代、人が「誰か他の人の動いている様子」を見られるのは、自分の身近で実際に生きて動いている誰かを直接見ることによってのみでした。現代では、テレビやYouTube動画などが、それらを代替していますよね。

「誰かの声を聞くこと」「誰かの情報を知ること」などに関しても同様で、メディアや文明の機器がそれを代替します。音楽ＣＤでアーティストの声を聴く・ＳＮＳで友人の情報を知るなど、私たちが日々当たり前にしていることです。また今後は、仮想現実が進化し、「誰かの匂いを嗅ぐこと」や「誰かの体温を感じること」「誰かと触れ合うこと」などに関しても、それらをメディアが代替する日が来るかも知れませんね。

このような各代替によって、人の心は不完全な形で（かつ時には一方的に）満たされます。

メディアに限らない「人間関係の代替」も例示します。例えばある人は、大好きなアイドルの握手会に行って、魅力的な異性の声を聴きたい・誰かと触れ合いたいといった欲求の一部を満たし、それによって、家族や友人と過ごしたり実生活で恋愛や結婚をしたいと思う心の力の一部が失われてしまうかも知れません。人間関係を築き保っていくチャンスが、誰かの現実の人生の中で失われてしまうかも知れません。

もちろん、現実の人生を充分に大切にしている上で様々な代替を適度に楽しむことは、人生を多様にすることで、それは必ずしも悪や罪にはつながらないことなのでしょう。メイドカフェ通いでもネコ動画探しでもギャルゲー課金でも、それが心や人生に深刻な悪影響を与えるかどうかは、程度・度合いの問題です。

もっと日常的には、私たちが普通にテレビやインターネットを見たり普通にスマホを使ったりする中でも、刺激的な異性の映像や罪の意識に関わるような情報・刺激などにより、心は強く影響され揺さぶられ続けます。

なぜなら、例えば「刺激的な異性の映像」や「誰かの死に関しての不幸なニュース」のような情報や刺激が得られる瞬間というのは、本来の動物としての人間の一生の中では、生きるか死ぬか・子孫を残せるかどうかを決する瞬間だったからで、当然、心を奮い立たせて人生の中での全力を発揮する必要がある瞬間だったからです。

この情報過多社会の中で多くの人たちは、心をうまく抑圧し、情報や刺激にうまくフィルターをすることで、刺激的な情報によって心が揺さぶられ過ぎないように心のバランスを保っていますが、それでも影響を全く受けない訳ではなく、やはり、人によっては、人の代替や人の心の代替を伴う過度な情報や強烈な刺激といったものが、ストレスの原因・心の疲れの原因・心をゆがめられる原因となります。

【人の心は限られた情報と限られた刺激の社会で進化してきた】

人の心は現代のような「つながり過ぎた社会」にぴったりと適するように作られてはおらず、限られた情報と限られた人間関係だけの現実のみが目の前にある小さな社会での進化を経て、つちかわれてきたものです。

例えば、人の心は、愛のしくみも嫉妬の感情も自然に当たり前に備えていますよね。

一族を中心とした小さな集団の中で全員で協力しながら種として生き続けるために有益だった愛という心のしくみも、他の誰かより競争優位に立って個として生き延びるために有益だった嫉妬という心のしくみも、つながり過ぎた今の社会では、人の心に厳しい影響を与える時があります。

ある人は、ニュースを見ていて、民間人が巻き込まれた紛争や事故など誰かの不幸に関しての情報を得たりして、こういったメディアなどがなければ感じずに済んでいたはずの不快感や悲しみを大量に得続けてしまうかも知れません。

別のある人は、大活躍する一部の人間のことをテレビやYouTubeやSNSで見続け、不要な嫉妬を感じ続けてしまうこともあるかも知れません。

「自分の周りのできごとしか知らず感じずに済んでいた小さな社会」では、自分の行動で状況を打破できることも多かったですが、「メディアで伝えられる広い社会や世界」に関しては、そうはいきません。遠い国での紛争を自分がちょっと頑張れば解決できる訳ではなく、世界的な活躍をちょっと自分が頑張ればできる訳でもなく、解決できない心のモヤモヤは溜まっていきます。

心の不快感は解決できないままに悶々として溜まり続け、ある人は心に言い訳をしてバランスを取ったある種の妥協や調整をし、別のある人は心を守るために感じることや考えることを部分的に遮断し、心を麻痺させていきます。

例えば、誰かが事故で死ぬような不幸なニュース映像を見ても何も感じなくなってしまっている人は、メディアに慣れ過ぎ、メディアによる影響から心を守るために、心を部分的に麻痺させ、本来の愛にあふれた形からは心をゆがめています。これは必ずしもいけないことではなく、心を守るために必要なことなのですが、気を付けないと愛のしくみを失う原因の一つになるかも知れないことです。

肌身離さず、無限とも言える情報と刺激に触れ続けることができてしまうメディアであり、かつ、今となっては代表的なコミュニケーション手段ともなっている「スマホ」に関しては、人の心への影響はさらに深刻です。

例えば、ほんの数百年前までは、「人が誰かの表情を見たり誰かの声を聞いたりする機会」は、その誰かと直接会うことによってのみでしたし、「誰か他の人と情報のやりとりをする機会」も、その誰かと会っての直接の会話によってのみでした。

人は集団で生きる社会的な動物として進化してきましたので、人にとって「仲間である自分の周囲の人たちからの意識や評価」というものは、とても気になるものです。他者を強く意識することは、社会的な動物である人間にとって、自然なことで必要なことです。

現代のこの社会では、過去のどの時代よりもはるかに、多くの人は常に誰かと広く浅くつながり、常に誰かから評価され、またそれを意識し続けています。

自分が意識する誰かの範囲も、以前は、現実に関わる家族や友人を中心とした限られた人たちだけを意識して、その人たちからの評価だけを気にしていれば済んでいたのが、それはそれは「ホントに人の心はこれだけ多くの人の評価を意識し続けることに耐えられるものなのかな？」というくらいに広がっています。

自分の人生への評価・自分のした仕事への評価などだけではなく、細かいところでは自分の投稿したSNSの内容に対しての「いいね！」も自分自身を高めてくれる評価に思え、それを麻薬のように快感に感じ、ある人は現実の人間関係や現実の自分の人生を犠牲にしてまで、病的に中毒のように誰かからの評価を求めます。

Instagram や Twitter での「いいね！」などは求めないという人でも、意識の持ちようによっては、誰かから自分にメールやメッセージの連絡が頻繁に来るかどうかということ自体が「自分への周囲の人間から常に下され続ける評価」だと感じられてしまうかも知れません。スマホを手にし、そういった評価を心の奥底で気にし続けることで、心への負担・ストレスを得続けて、目に見える傷ではなくとも心は蝕まれ続け、心が休まることなく疲れ果ててしまう人もいます。

スマホを手にし、常に不特定多数の誰かからの連絡や刺激が今にも来るかも知れなくてドキドキするし……来なかったらそれはそれで何となく寂しいし……、といった心の状態自体が、心の持ちようや感じ方や意識のしかたによっては、人を絶え間ない緊張の中にさらし続け、心をずっとずっと疲れ続けさせてしまいます。

一方でまた、スマホを手にしていないと不安で落ち着かず、新着メッセージなどの確認をしたくてたまらない。現実に一部の人はすでに、このような「スマホ依存」とも呼べる窮屈で自由のない心理状態になってしまっています。

スマホやネットやSNSの他の功罪として、別のある人は、想像力がなく愛もない誰かのネット上の心ない書き込みによって深く傷つけられてしまうかも知れません。ネットやSNS上では必ずしも相手の顔が見えたり自分の素性がわかったりしないだけに、現実の人間関係には必ずあるような「人への配慮」というものが、しっかり意識していないと薄れがちです。

しかし、傷つけられた人の心は間違いなくそこにあり、ひどい時には、ネット上のいじめや中傷による自殺などすら起こる。……なんだこれ？　さすがに、冷静に考えても異常です。便利にはしているかも知れないが、人を幸せにするどころか、不幸にしてはいないか。

もし、スマホやネットなどが存在しない社会だったら、人の心はどうなるでしょう？

まず、間違いなく、自分の家族や友達といった本当に大切な人たちとの実際に会っての交流を、もっと大切にできます。

誰かからの連絡にすぐ対応しないといけない緊張にさらされ続けることもなく、誰にも評価されず無視されているという不安や劣等感に無駄にさらされることもなく、自分の心をもっと大切にして心の余裕を持って生きられます。

【メディアの影響を知り、心を保てるようにバランスをとる】

少し、熱ーく長ーくややこしーくなってしまいましたが、つまりここで何が言いたいかと申しますと、「人の心へのこのような様々な影響を理解した上で、各メディアがもたらす情報や刺激との関わり方の調整を意識して自分でするということが、情報過多で刺激過多な社会に生きる私たちには、とても大切なこと」ということです。

例えば、メディアによる情報と刺激に本当に病的なほどに疲れたら、「通信機器も情報機器も無い、自然豊かな中で、自分の本当に大切な誰かと一緒にお互いを大切にしながらしばらく生活すること」などが、おそらくは人間としての自然な心の状態を取り戻すための一番の薬になります。

……そこまで極端な手段でなく、もう少し私たちが現実に実現可能と思われることとしては、例えば、テレビをつけない日・スマホの電源を入れない日・ネットにつながない日を決めるだけでも、心はだいぶ休まります。情報や刺激が過負荷な状況にあることを自覚し、その過負荷な状況をうまくコントロールできるように、物理的・心理的にそれらの情報や刺激から適度な距離を置くことが大切です。

一部の宗教などで実践されているような安息日のデジタルデトックス（スマホもネットも決して使わない日を決めること）というものも、情報や刺激のストレスから自分の心を遠ざけ、心の平穏を保ちやすくして、現実の自分の人生と自分の心と自分の大切な誰かの心とを大切にするのに役立っているのでしょう。

こういった工夫や配慮や心掛けにより、心の平穏を保ちやすくしたり、人として大切な心のしくみも維持しやすくできます。

私もこどもの頃に、「ファミコン（古い！　年齢がバレますね……）は一日一時間」「テレビも一日一時間」と両親に言われたりしましたが、大人の心の健康にもそれがホントは良いのかも知れませんね。さらには、「スマホも一日一時間」「ネットサーフィンも一日一時間」にする方が、人によっては、自分の人生をもっと大切に、心に余裕を持って、楽しく生きられるのかも知れません。

それくらい、現代社会では、人々の優先順位が、メディアというものに極端に偏ってしまっています。

情報や刺激・メディアによって心が疲れていると感じたら、それらから心理的な距離・物理的な距離をとって心のバランスを調整することで、自然な心の状態に近づいていくことができます。

2―3　続いては、意識の強さのコントロールに挑戦

意識の低い人のイラスト

仕事、お金、将来、過去、健康、周囲からの評価、人によっては成績、学歴、容姿、人間関係、人生の成功などなど、人は様々なものを求めたり様々なことを意識したりしながら生きています。

「意識をする」ということは、何かを気にかけ、何かを自分の心の中で重要な位置に置くということで、人が生きていくために重要な様々な何かを意識することは、言うまでもなく、当たり前で大切で人が生きるのに欠かせないことです。

動物として生きていた時の人間も「今日の食べ物の心配」や「家族が欲しいと望む意識」などを強く持ちながら生きてきたので、子孫を今まで残すことができました。

現代社会の私たちは、動物として生きていた時よりもずっとずっと多くのことを意識しながら生きています。

それによる良いこと、もちろんあります。

過去に失敗した何かを意識しておくことで、同じ失敗を繰り返さずに済みます。自分にとって本当に大切な何かを自分の心の中で位置付けて、こだわりや執着を持ち、日々を精力的に信念と強い気持ちで努力しながら過ごすことで、夢を叶えたり好きな仕事に就いたりなど、大きな何かを成し遂げることができます。

一方で、強過ぎる意識は、自分の心を追い詰め、うまく生きるのを難しくしてしまうこともあります。将来への不安・周囲からの評価・過去に犯した過ち、どれも強く意識し過ぎると（あるいは全く意識しなさ過ぎても）、人生をうまく生きることが難しくなります。

心の問題や精神的な病の多くは、心の個性の強さの程度の問題によるものです。例えば、何かを意識し過ぎるその傾向も病的なほどに強くなってしまえば、日常生活や人間関係や人生にまで深刻な影響を及ぼし、「社会生活で問題を起こしにくい一般的な心の状態（健康とされる状態）」との大きな乖離《かいり》によって、「病気である心の状態」としてカテゴライズされます。

ここでは、現代のこの社会で人が強く意識し過ぎて自分の心を追い詰めてしまいがちないくつかの事柄について触れ、意識の持ちように関しての考え方の例を挙げさせて頂きます。

【お金というものへの意識】

ほんの数千年前はそうだったはずの、動物に近い生活をしていた時代の人間の生活環境は、当然ですが、お金や経済に左右されたりはしません。……ありませんでしたからね♪

ですので、シンプルに考えて、今の時代では人の心に強い影響を与えていると思われる「お金や経済といったもの」から少し意識を離してみることによって、人の心は今よりも少し、本来の心に近いバランスを取りやすくなります。

具体的な実施策の一つとしては、「何かを考えたり何かを判断したりする時に、お金や経済といったものを思考や判断の基準にし過ぎている自分を意識的に少し是正すること」があります。

つまり、「金銭的に損か得かという基準」のみに偏り過ぎて、「人の心に生じる現象の意味と価値とを大切にする基準」を見失いがちな自分を、自覚し、意識し、是正し続けることです。

何かを判断する時に、「損か得か」ではなく、「自分の心が本当は何を求めていてどう感じているか」ということに耳を傾けて決めることです。

平たく例を挙げますと、「少し高いけど、美味しそうだから食べちゃえー」や

「せっかくの旅行だから、いつもより贅沢しちゃえー」や「大切な人を喜ばせたいから、奮発してプレゼントを買っちゃえー」です。

意味も価値も、人の心の中にこそ、あります。

【お金や経済に関連して……後天的に獲得する罪と善の基準】

例えば、過度の浪費は現代社会では不快（というより不安？）の感情をもたらします。「浪費することにより、自分が将来の生活で困窮したり家計が立ち行かなくなったりする可能性が高まる」と予測できるからでしょうね。

また逆に、その不快や不安の感情で心を追い詰め過ぎてしまうことを避けるためか、過度な浪費が快感になるように心に倒錯的なしくみが作られることもあります。大人買い、無駄遣い、後で反省することになるとしても、その時は高揚感があったりゾクゾクしたりするかも知れません（これは、カライものや怖いものの危険を感じることで快楽物質が脳に生じるということにも近いのでしょうかね）。

さらにはその逆に、社会に属する多くの人が積極的に浪費をして好景気が機能するという経済社会のしくみを考えると、「適度な浪費はむしろ善」で「過度な節約こそが罪」と言えるのかも知れません。

つまり、経済とは、人の心をどの程度の強さでお金に執着させるかによって社会の資源（物資・エネルギー・労働など）の分配バランスをできるだけ最適にして、多くの人の心にできるだけ多くの価値や意味を生み出すか、という試みです。

【仕事というものへの意識】

続いての例です。現代の大多数の社会で多くの人にとって、「仕事」というものは人生と切っても切り離せないもの。一方で、大自然の中で生きていた動物としての人間から見れば、これも必ずしも自然ではないものです。

言うまでもなく、多くの人は経済社会の中でお仕事をしてお金を稼いで日々の生活を送っていますが、すべての人が愛に満ちた本来の人間の心を保っている社会であれば、理想的には、経済のしくみなどは不要になります。

対価としてのお金をもらえようがもらえなかろうが、すべての人はお互いの幸福や喜びを自分自身のものとして感じ、それを自然に求めて自分のするべきことを「仕事」として能動的に助け合い、それで社会が機能し成立します。

もちろん、現実には、経済というしくみのおかげで社会のバランスがある程度合理的に調整されている面もありますし、仕事があることで自分の人生をより充実させて生きられている人も多いです。

少なくとも現状では、経済という社会のしくみは有用なもののようではありますので……、大切なのは、度が過ぎないように・心を大切にできるように、経済やお金に偏り過ぎないように、心のバランスや意識のバランスをうまくとることです。

例えば、悪い例としては、愛のしくみよりも経済やお金などへの意識を優先し過ぎた結果、自分自身以外の誰にも価値を生まない利己的な仕事をしている人、ましてや誰かを不幸にして誰かから搾取して誰かを食いものにすることでお金を稼いでいる人がいます。

残念なことに相変わらず減らない「オレオレ詐欺」とか、「振り込め詐欺」とか……、仕事として従事している人もいますが、これらは人の心の本来のしくみから考えれば、悪と呼べ、罪の意識を喚起させる行為で、愛を麻痺させ、心をゆがめる行いです。もちろん、法律的にも犯罪ですしね。

また一方では、「仕事をする」ということ自体が社会の中で奨励され評価され過ぎ、何らかの理由でそれがうまくできないことに過度な劣等感を感じてしまう人がいたり、逆に、人として大切なものを犠牲にしてまで仕事に没頭してしまう人もいたりします。

なかなかすべての人を幸せにはできない経済のしくみのひずみで、働いても働いても生活が楽にならず、困窮している人たちもたくさんいます。経済に頼るのみでは社会を充分に良くすることも大多数の人を幸せにすることもできず、やはり、その補完のためには、人が人を思いやり合える愛の力が必要なのでしょう。

常に最も大切なのは「人の心」です。仕事であれ文明であれ金銭であれ、心を壊してまで重視すべきものなど本来はないのに、この日本の現代社会の社会規範は、希薄なくせに、人の心を大切にするよりも、金銭や個人の快楽や見栄や義務などを優先させようとします。

経済に偏りがちで仕事に偏りがちなこの社会の社会規範の中で生きる上では、これらから時々でも少しだけでも心の距離をとることで、より楽に人らしく生きられる面があります。

【他者というものへの意識】

ほんの数千年前の人間にとって、自分の属する社会のすべては、自分の家族や一族のみで完結する限られた規模のものでした。これは、把握できる情報が限られていたからです。

それに対して、現代社会では、特にメディアというものを通じ、自分がつながることができる社会の規模は、日本全体・人類全体・世界全体と、非常に大きなものになっています。

広くつながり過ぎた社会やそれに関する情報は、知見を広げて事実を認識し、全体を見てのより正しい選択ができるようになるためにとても有益です。地球は一つ、世界はつながっていますので。

しかし一方で、例えば、私たちは毎日のように、テレビのニュースなどで不幸な事故や事件に遭ってしまった罪もない人のことを知り、心を日々疲れさせていきます。地震で大怪我を負った誰かの姿を見て心を疲れさせ、テロに巻き込まれて家族を失った誰かの姿を見て心を疲れさせます。心はストレスを受け続けます。

ＳＮＳの中でも現実の学校や会社などの人間関係でも、多くの人が「誰かの顔色」や「誰かからの評価」といったものを常に気にしながら、とても窮屈に不自由に生きています。このようなことでも、人の心は疲れ、ストレスを受け続けます。

広くつながり過ぎた社会やそれに関する情報といったものは、野生動物としての人間であった時には決して与えられなかったもので、それゆえ、人の心はこれらの無限に近いつながりや膨大な情報を真正面から受け止めきれるようにはできていません。

ですので、この情報過多社会の中で生きていく上では、自分の心に負担を掛け過ぎないように、必要に応じて自分の意識を社会全体や多過ぎる他者から少し離してみることで、本来の動物としての人間が把握し守ろうとしていたはずの、例えば「家族を中心とした範囲」に愛を強く集中させるといったことが役立つのかも知れません。

人類全体への広くつながった「不偏の愛」をある程度大切にする一方で、自分自身の心を壊してしまうほどには真っ直ぐに受け止め過ぎないようにし、心の負担を適度に軽減できるバランスをとることで、心を麻痺させることなく、健全な心のしくみや愛の力を保てます。

愛する対象を無限に広げ過ぎてしまうと、その愛が強い人にとっては守りたい・ともに幸せでありたい誰かが無限に多過ぎ、同様に、例えば、嫉妬心が強い人にとっては競争をして勝ちたい対象が無限に多過ぎ、承認欲求の強い人にとっては認められたい相手が無限に多過ぎ、ゆえに、このつながり過ぎた世の中では満足はしづらく生きづらいのです。

情報が限られ、人間関係が限られた中で生きていた時の方が、よほど、心は満足させやすく生きやすかったのでしょう。「井の中の蛙、大海を知らず」と言いますが、大海を知らないままの方が、カエルちゃん本人にとっては満足ができて幸せを感じられやすいのかも知れません。

例えば、愛を強く感じる対象を、自分の家族や自分の友人や自分が現実に関わる人々を中心にした範囲にある程度集中させれば、生きやすくなることがあります。もちろん、周囲の人間を無視するのではなく、「比較的」集中させるという意味でです。

冷たい言い方になってしまうのかも知れませんが、テレビのニュースで知る誰か一人一人の不幸や死のすべてを、自分の親や子の不幸や死と同等に捉えてしまっていたら……、おそらく、本来の愛にあふれた人の心のままでは、とてもとても心が持ちません。

愛の大切さをずっと論じてきたのに矛盾する感じになりますが、限られた情報だけが得られていた野生の状況とは違いますので、愛の範囲や強さを少しゆがめたりして調整しないと、メディアなどのせいで生きにくいことがある世の中なのでしょう。

【未来というものへの意識】

安全や秩序がある程度保証されている現代社会は、本当に確実な未来まではわからないにしても、将来のことが比較的予想しやすい世の中になっています。

このような状況も、感情と欲望に素直に突き動かされて日々その瞬間を全力で生きてきた動物としての私たちの心から考えれば、とても特異な状況と言えます。

もちろん言うまでもなく（このパターンの言い回し、多いですね……）、このような環境で生きることのメリットもたくさんあります。

ある程度安定した秩序と安全の中で将来が期待できるからこそ、人は無計画になったり自暴自棄になったりせず、貯蓄をしたり技能を磨いたり、計画的に将来を設計したりして、多くの時間や努力が必要なことを成し遂げることができます。

また、今が苦労している大変な状況の時でも、明日の自分・一年後や五年後の自分などを想像することで、大変な今を耐えて乗り越えられる強さを持つことができる人もいます。

ですが一方で、将来や未来が想像でき過ぎることによって、日々、不安にさいなまれて現在を楽しめなくなってしまう人も少なくはありません。

経済的に困窮する将来への不安、家族の老後への不安、今の仕事がうまくいかなくなってしまうことへの不安、日本経済や地球環境が立ち行かなくなってしまうことへの不安。

十年後、今の会社大丈夫かな。明日の上司との打合せ、気が重いな。今のまま赤字の家計が続いたら、将来どうなるんだろうな。

人の心というものは、自分がより確実に生き延びることができるように、不安や危険や恐怖を避ける方向に本能的に強くバイアス（偏り）が働きます。なので、多少楽観的に将来を見るくらいで、ちょうど良いとも言えるのかも知れません。

将来を大切にする自分と、今日の今この時を生きる自分とを、ともに大切にできるよう心がけることで、「動物としての人間の心」と「社会に生きる理性的で計画的な人間の心」とのバランスをうまく取って、より生きやすくなることがあります。

【過去というものへの意識】

人は誰でも失敗をします。一度しかない人生を前向きに活かすための方法論・人生哲学的なことで言えば、「過去の失敗を現在と未来とに活かすかどうか」で、違いが出ます。

また、愛を備えている人間は、自分以外の誰かの経験を自分自身の経験として重ね、例えば、悲惨な過去の戦争のことを知ることで、それを教訓として今後に同じ過ちをしないように活かすこともできます。

人は誰でも、人生のうちで悲しいできごとを経験します。大切な誰かとの死別などの悲しいできごとやそれに起因する感情などは、乗り越えるのに時間や努力を要することも多いですが、やはり、現在と未来とを活かすためにその悲しいできごとや経験や感情をどう扱うかで、違いが出ます。

特に、大きな罪を犯した時、人の心は岐路に立たされます。

一つの道は、心を強く持って、誰かを傷つけ悲しませてしまったことへの罪の意識などをしっかりと受け止め、反省と教訓を抱えながら、同じ罪を犯さないように前向きに生きるか。

もう一つの道は、罪の意識に耐えきれずに自分を無意識のうちに正当化し、倒錯した心のしくみを作り出し、犯罪や罪につながってしまうような心を強化させたり、心を麻痺させて極端にゆがめたりしてしまうかです。

さらには後者の場合、同じような犯罪を繰り返すようになってしまったり、同様の犯罪をさらにエスカレートさせてしまうこともあります。

また、現代は、今まであったどの時代よりも、誰かの過去や自分の過去が鮮明に記録され、多くの人の目に触れ、記憶にも残る時代です。FacebookやInstagramなどのＳＮＳは、その最たるものですし、WEBに一度掲載された写真も、永遠にどこかに残ったりします。

こういった記録や記憶が残ることを意識し過ぎて理想の自分であろうと無理をしたりすると、心が縛られて自由を失い、やはり窮屈になって生きるのが苦しくなることもあります。

ですのでなおさら、私たちは、心が過去に縛られ過ぎないように、現在と未来とを活かせるように、心のバランスを取った方が良い時もあるのでしょう。

【ここでのまとめ】

意識しなさ過ぎれば生きられないし、意識し過ぎれば生きにくい。夏目漱石さんも言っています、「とかくに人の世は住みにくい」。この社会の中で人がうまく生きていくには、意識しつつも意識し過ぎない、そのバランスが大切です。

例えば、真剣に何かを意識し過ぎて心が疲れた時には、理性的な人間としての意識を一度緩めて、動物としての本能に近い欲求や感覚の方に従います。

無条件で、生きることを望み、自分の心に価値や意味を生み出すことを望み、欲求や感覚や感情に素直で、人を愛することが自然とできる、心の奥底に確かにいる自分自身の心の声に耳を傾けます。

3—1　さぁて、良い社会を取り戻しましょうか

円陣を組む若者のイラスト

人は、一人で生きてはいません。自然の中で動物として生きていた時も、家族や一族を大切にして助け合って生きてきたので同じくそうですし、文明社会の中ではより多くの人が協力し合って暮らし、互いに当たり前に影響をし合います。

さらに現代では、メディアを通じて人は遠くの誰かとも浅く広くつながり、不特定多数の誰かの情報を無限と言えるほど多く知ることになります。これによっても、人は少なからず影響を受けます。

人が生きやすくあるためには、その人自身の心がけによって生きやすくあろうとすることがもちろん大切ですが、さらには、社会自体が良い方向に変わること、属する人がより生きやすくなるような社会に変わることも大切です。

例えば、「一人一人が自分の心を、つらい境遇・いじめや孤独などに耐えられる強い心にする。その状況を打開できる強い心にする」だけではなく、「いじめや孤独をそもそも生まない社会にできるよう、必要な社会規範を作り出し、それによって社会を作り変える」という方向性です。

例えば、「一人一人が自分の心から愛が失われないように、心を壊してしまわないように意識し続ける」だけではなく、「そもそも誰も愛を見失ったり心を壊してしまわない、人が人の心を持ったままで生きやすいような社会にしていく」という方向性です。

仕事で大変でも、闘病で大変でも、貧困で大変でも、育児で大変でも、介護で大変でも、多くの人の心に愛があり、意味や価値を感じられる心があれば、人は互いに助け合い、配慮し合い、感謝し合い、日常の小さな喜びや人間関係のやりとりの中で充実感を得つつ生きていきやすくなります。

当たり前のことですが、社会のために人があるのではなく、人のために社会があります。

社会規範も文明やテクノロジーも、細かく言えば法律も経済も政治も宗教も、テレビもインターネットもスマホもＳＮＳも、今私の目の前にあるこのコーヒーカップ一つも中に入っているスタバのブレンドも、人の幸せのためにあります。

なのに今、人は、お金や賃金や仕事など経済の奴隷となり、会社など組織の奴隷となり、スマホやインターネットなど様々なメディアや文明の機器や社会のしくみの奴隷となりつつあります。

では、ここであらためて、「人の幸せ」とは何でしょう。

それはまず、「愛する誰かとともに、人としての心を持って生きること」です。そうすることで日々の生活の中でのたくさんの幸せや喜びや充実感も自然に感じられ、そうあることが幸せと感じられるように、本来の人の心のしくみはできています。

なぜなら、人は生物であり、動物だからです。

例えば、貧困や過重労働に悩み続ける、生存が脅《おびや》かされるような恐怖や不安を受け続けるなど、心に過度のストレスを受け続けることは、人としての心を維持することを難しくさせますので、多くの場合、幸せにつながることではありません。

逆に言えば、当面の衣食住が足りて愛する誰かといられていて過度なストレスもなければ、動物としての心のしくみから考えても、「ある程度は幸せ」です。「今日も家族が健康で、ご飯が美味しくて、お風呂に入れて、好きなことができて、布団で寝れて、誰かと笑い合えて、明日の生活の心配もとりあえずは無くて、幸せ」です。

また、このような「日常的な幸せの形」に関しての社会規範がある程度しっかり定義されることも、より人を幸せにできる社会の条件となるのでしょう。

一方で、「人は慣れるもので、比較によって感じるもの」ですので、当たり前になり過ぎた幸せは、それを意識し続けないと感じづらくなり、見失いやすくなります。

過去の宗教社会においては、例えば、毎日の家族団欒での食事に関して、食前のお祈りで神様に感謝をすることなどで、「当たり前の幸せへの意識」というものが強く維持されていたのかも知れませんね。

社会がどう変わり、世界がどう変われば、そこに生きる多くの人々が幸せに生きられるか。すなわち、「多くの人間が人としての心を持って・愛という心のしくみを維持しながら生き続けることができるような社会にするためには、どうすれば良いのか」を考えていきます。

3―2　愛を無条件に肯定する社会の創造

お年寄りの手を取る
女性のイラスト

人が自分自身だけではなく自分の種を優先して生きられるようになった時に進化の過程で得たしくみが、「愛」です。また、人が社会の中、人の集団の中で生きられるのも、「愛」のおかげです。

自分の幸せや喜びと同じように誰かの幸せや喜びを感じ、自分の不幸や痛みや悲しみと同じように誰かの不幸や痛みや悲しみを感じること、それが愛です。

また、愛に基づいて行動すること、それが善です。

愛があるから、人は互いに助け合い、互いに思いやりを持てます。自分だけでは生きていく力がまだない赤ちゃんも、家族を中心とする誰かの愛があるから生き続けられます。犬の赤ちゃんでも子猫ちゃんでもウリボウでも同じです。種であるには愛が必要です。

本来、人の心にはもともと愛が備わっていて、人の社会は愛に満ちています。

現代の日本の社会のように、愛が満たされづらい世の中になれば、人の愛は行き場を失い、抑圧と葛藤を経て、やがて麻痺し力を失います。そして、誰かの愛が麻痺し力を失うことで、より愛が満たされづらい世の中になり、その負の連鎖が少しずつ広がっていきます。

また、メディアによって人の感じる愛の範囲が無限と呼べるほど大きく広がり、例えば、テレビから毎日のように流れる不幸な誰かに関してのニュースを聞き続けるうちに、人として本来感じるべきはずの愛はずっと解決できないままくすぶり続け、ある人は自分の心を守るために、部分的に愛を感じる範囲を制限します。

経済や法律や政治や福祉やサービスなど、社会のしくみが愛の機能を不完全に代替し、愛が部分的に形骸化して力を失ったという面もあります。

もともとは、それらの社会のしくみの背景にも、人の愛の力があったはずで、それらの社会のしくみの目的も、人の幸せにあったはずです。

ですが、しくみのみが先行し、愛の無い福祉やサービスとなってしまっていたり、ほんの一部の人しか幸せにしない経済や法律や政治になってしまっていたりもします(どんな社会のしくみもサービスも便利な機器も、それが人を幸せにする良いものであり続けるためには、愛の力がともにあることが必要です)。

これらのことの結果として、ある人は誰も愛せなくなって孤立し、ある人は自分の周囲の一部の人間しか愛せなくなって、それ以外の誰かを傷つけ、ある人は自分の国や自分の宗教の仲間のみしか愛せなくなって、その仲間の利益のために仲間以外の誰かを攻撃します。

より多くの人が生きやすい社会の実現のために最も大切なことは、多くの人の心に「愛を無条件に肯定する価値観」を取り戻すことです。

本来、愛は際限なく広く深く無限のものです。成長過程で社会規範や知識を身につけながら広がっていく部分もあるにしても、家族への愛、友人や知人への愛、人類への愛、人間以外も含む動植物への愛、未来の世界に生きる誰かへの愛と、広がっていきます。

もちろん、全てを守ることはできないジレンマもあり、愛する誰かのために他の誰かを少なからず犠牲にすることもあるとしても、多くの人々が愛をより強く意識し、愛ゆえの葛藤をある程度し続けることが大切で、それにより社会のバランスも保たれます。

まずは誰もが、当たり前に、家族を中心とした本当に大切な人を自然と心から愛せるような価値観を取り戻すこと、続いて、家族以外の多くの人たちのことも無視せず同じ人間として愛せるようになること。

その愛の形は、優しさや配慮や礼儀といった日常的なものかも知れません。「ありがとう」とか「元気?」とか「おはよう」とか、一言声を掛けるだけのことからかも知れません。

そして、「愛を持ち続けることが良いことで・当然のことで・自然なことで・推奨されることであるというような価値観」を多くの人が共通して持ち、愛を肯定する社会規範が強く形成され、社会は良い方向に、より多くの人を幸せにできる方向に進んでいけます。

3―3　現実の「人」を大切にする社会の創造

スマホに夢中の恋人に困る
女性のイラスト

過去においては人の役割だったものが、現代社会では他の様々なものに代替されています。

人がしていたはずの仕事は、機械が代替します。人と人との現実のやりとりしかなかったコミュニケーションというものも、他の便利な文明の機器によって代替されています。誰かと時間と空間と顔を合わせての笑顔の見えるナマの声のやりとりは、LINEやメッセージやSNSやメールが代替します。

もちろん、こういったものも、無駄なく効率的で便利で楽ですよネ。

ですが、これらの代替によって、ある人は自分自身の存在意義の一部を失うかも知れません。例えば、人が仕事をすることの本質はお金を稼ぐことではなくて価値を生み出すことですが、AIや機械に仕事を奪われてそれができなくなった人は、無力感を感じ、自分の存在意義に疑問を感じてしまうかも知れません。

社会の中の多くの人たちがメディアを通じて特定の有名人のことばかりを見たり、ＳＮＳを通じて間接的なやりとりばかりをします。少なくとも、それが感覚的にも一部の人には寂しく思えます。

そこには、本来当たり前にあったはずの、「目の前にいる誰かが、自分のことを見てくれて認めてくれて触れ合ってくれて声を交わしてくれる」といったやりとりが失われています。それに伴い、お互いの心に生じたはずの価値や意味が大きく失われています。

他にも、ここまでずっと論じてきましたように、人を代替させることや人の心の機能を代替させることによる影響は数多くあります。

人の役割だったものを何かに代替させることで、人の心に生じるはずだった価値や意味は大きく失われ、人の心は知らず知らずのうちに、非常に大きくその影響を受けます。

人を中心とした・人の心を本当に大切にした社会や世界であり続けるためには、人の代替を無制限に認め過ぎるべきではないのでしょうし、人の代替をし過ぎることによる影響や危険性を多くの人間が自覚しておくべきなのでしょう。

現実の人を大切にする・現実の人の心を大切にする価値観を多くの人が持ち、それが社会規範として強化されることで、社会はまた一つ、良い方向に、多くの人を幸せにできる方向に進んでいきます。

3—4 本当の価値や意味を理解する社会の創造

楽しそうに食事をする
家族のイラスト

人の生きる意味や価値は、「人の心（特に自分自身の心）に何かをもたらす」ということに尽きます。

仕事をしてお金を稼ぐことも、それを通じて自分自身の心に充実感や生きがいや喜びをもたらし、誰かの心にも喜びや楽しさをもたらした（意味や価値を生み出した）結果、愛のしくみを通じて、自分自身の心にも喜びや楽しさを生み出せることに意味や価値があります。

愛が充分に強ければ、利己的と利他的との境目など、ありません。

人にとっての価値や意味・真実や本質は、常に、自分自身の心の中にしかないのですが、この物質文明の社会の中では、この価値や意味がないがしろにされてしまうことが頻繁にあります。

また、人の心は、現代社会を生きる中で抑圧され、多過ぎる情報や刺激によって麻痺しています。

求めること・感じること・考えることなど、本来はそれ自体が人にとっての真理であり意味や価値の根源であるはずの心の動きというものそのものも、多くの人の心の中で、力を失ってしまっています。

美味しいものを食べる、心穏やかに休む、愛する人と親しくするなど。より高次には、美しいものを見る、自然を慈しむ、誰かを幸せにするなど。人が本来備えている心のしくみが求めるものさえ、求めず感じなくなってしまっています。

多くの人が、求め・感じ・考え・時に悩んだり喜んだりするその全てに意味と価値とを実感できるような社会になれば、その中で生きる人々の心もまた、過度の抑圧や情報による刺激の中でも麻痺しづらくなり、自分自身の心の力を信じ保つことができ、人としての純粋な心のままで生きやすくなります。

そうして、「人にとっての価値や意味が、心に生じる全てにある」という価値観が社会規範として強化されることで、さらにまた一つ、社会は良い方向に、多くの人を幸せにできる方向に進んでいきます。

あとがき

こちらの文章をまとめるにあたって、たくさんのインスピレーションをくれた妻をはじめとする家族と、友人に感謝を送ります。出版にあたってご協力を頂きました「てらいんく」の佐相美佐枝様にも感謝を送ります。

また、書籍一冊につき、イラストを自由に二十点まで使わせてくれるという、大変太っ腹な、みんな大好き「いらすとや」さんにも、感謝を送ります。

埼玉ポーズのイラスト

岡本 隼人（おかもと はやと）

東京都調布市出身在住。東京都立大学経済学部卒業。開発やデザインなどIT関係の仕事をいろいろと経験後、今の本業はパソコン教室の講師と管理。WEBサイト「ミチシルベ」内でメールカウンセラーとしていろいろな方の心理相談を行う。

特技はピアノ演奏・麻雀で、趣味は旅行・アニメ・オールドゲーム・妻と行くビターチョコレート巡り・友人とカルテットを組んでいるリコーダー演奏。

人の幸せのための社会じゃなかったっけかな？

——さぁて、人としての心と良い社会を取り戻しましょうか——

発行日　2020年6月17日　初版第一刷発行
著　者　岡本隼人
発行者　佐相美佐枝
発行所　株式会社てらいんく
〒215-0007　神奈川県川崎市麻生区向原3-14-7
TEL　044-953-1828　FAX　044-959-1803
振替　00250-0-85472
印刷所　モリモト印刷

ISBN978-4-86262-161-1　C0030